Uppoava uimari

Uppoava uimari, suomalainen alkuperäisteos

Teksti *Tuula Pere*
Kuvitus *Catty Flores*
Taitto ja ulkoasu *Peter Stone*

ISBN 978-952-325-454-1 (Hardcover)
ISBN 978-952-325-455-8 (Softcover)
ISBN 978-952-325-456-5 (ePub)
Ensimmäinen painos

Copyright © 2021 Wickwick Oy

Kustantaja Wickwick Oy
2021, Helsinki

Scared to Swim, original Finnish text

Story by *Tuula Pere*
Illustrations by *Catty Flores*
Layout by *Peter Stone*

ISBN 978-952-325-454-1 (Hardcover)
ISBN 978-952-325-455-8 (Softcover)
ISBN 978-952-325-456-5 (ePub)
First edition

Copyright © 2021 Wickwick Ltd

Published 2021 by Wickwick Ltd
Helsinki, Finland

Originally published in Finland by Wickwick Ltd in 2021
Finnish "Uppoava uimari", ISBN 978-952-325-454-1 (Hardcover), ISBN 978-952-325-456-5 (ePub)
English "Scared to Swim", ISBN 978-952-325-451-0 (Hardcover), ISBN 978-952-325-453-4 (ePub)

Wickwick books are available at special discounts when purchased in quantity for premiums and promotions as well as fundraising or educational use. Special editions can also be created to specification. For details, contact specialsales@wickwick.fi.

Uppoava uimari

TUULA PERE · CATTY FLORES

Children's Books from the Heart

Lilja istuu kylpyammeessa vaahdon keskellä. On hauskaa olla lämpimässä vedessä ja uittaa muovisia kaloja. Kylpyhuoneen ovi on raollaan. Äiti kurkistelee yhtenään oviaukosta ja varmistaa, että kaikki on hyvin.

"Äiti, minä olen jo viisi vuotta! Kyllä minä osaan istua kylvyssä yksinkin", Lilja sanoo ärsyyntyneenä.

"Mutta sinä et osaa vielä uida!" äiti perustelee.

"Minä haluan kyllä oppia. Niin pian kuin mahdollista", Lilja päättää.

Kylvyn jälkeen Lilja ei malta edes pukea, vaan tulee pyyhe ympärillään äidin ja isän luo.

"Etsitään minulle uimakoulu! Olen kuullut, että sellaisia pidetään uimahallilla." Lilja on innostunut.

"Hyvä ajatus. On tärkeää oppia uimaan!" isä sanoo. "Menemme taas kesälomalla mökille. Rannassa on turvallisempaa, kun sinäkin osaa uida."

4

Pian isä löytää tietokoneelta sopivan ui-
makoulun. Lilja ilmoitetaan mukaan.

"Ensi viikolla pääset aloittamaan", äiti
päättää.

5

Lilja makaa pitkään valveilla sängyssään. Vaikka uimakouluun meneminen on hänen oma ajatuksensa, päätös on tehty liian nopeasti. Tätä täytyy pohtia.

"Monet kaverit osaavat jo uida. Kyllä minäkin varmaan opin."

Lopulta Lilja nukahtaa mutta uni on rauhatonta. Hän uneksii vedessä polskivista kavereista, jota räiskyttävät vettä hänen päälleen. Se ei ole hauskaa.

8

U imakoulussa on jännittävää.

Äiti auttaa Liljaa pukemaan uimapuvun päälle ja saattaa tytön lastenaltaalle muiden luo.

"Pelottaa", Lilja tunnustaa.

"Ei ole mitään syytä. Teistä pidetään täällä hyvää huolta", äiti vakuuttaa.

Lilja ei oikeastaan halua jäädä uimahallille. Häntä nolottaa.

Lapset tungeksivat uimaopettajan ympärillä. Lilja vetäytyy kauemmaksi.

"Hyvin tämä menee! Tulen tunnin päästä hakemaan." Äiti huiskuttaa kättään jäähyväisiksi.

Uimaopettaja selittää yhteiset ohjeet. Kun niitä noudattaa, kaikki menee hyvin. Niin hän vakuuttaa.

Lilja ei ole varma, voiko uimaopettajaan uskoa. Hän näyttää aika oudolta kireä uimalakki päässään.

O nneksi ryhmässä on tuttuja lapsia. Yhdessä pols-
kiminen on aluksi mukavaa.

Välillä Liljaa kuitenkin ärsyttää, kun uimaopettaja
antaa ohjeita liian kovalla äänellä. Siitäkään Lilja ei
pidä, että uusia asioita tehdään niin äkkiä. Hän halu-
aisi totutella rauhassa.

"Minä en enää tahdo sukeltaa!" Lilja hermostuu ja nousee altaan reunalle. Märkänä on kylmää odottaa.

O nneksi äiti tulee pian.

"Miksi seisot yksin täällä altaan reunalla?" äiti ihmettelee.

Lilja kertoo, että häntä jännittää. On liian paljon uutta opittavaa ja liian kova meteli.

"Enkä minä halua painaa kasvoja veden alle!" Lilja selittää.

"Kyllä sinä totut", äiti lohduttaa.

U imakoulu jatkuu. Tulee toinen kerta ja kolmas kerta. Lilja ei totu yhteisiin vesileikkeihin, vaikka hän kuinka yrittää. Hän miettii, että on parempi lopettaa kesken.

Muut näyttävät nauttivan yhä rajummista vesileikeistä. Jotkut osaavat jo uida ensimmäisiä vetoja aivan yksin.

"Minusta ei taida koskaan tulla hyvää uimaria", Lilja
miettii surullisena.

"Isä, voiko uimakoulussa hukkua?" Lilja kysyy eräänä iltana. "Minua pelottaa ihan hirveästi, kun meidän pitää liukua kasvot vedessä. Ensin pysyn pinnalla, mutta sitten alan painua syvemmälle."

"Uimakoulu on aivan turvallinen paikka", isä vakuuttaa.

"Mutta siellä on niin kova meteli, että kukaan ei kuule, jos minulle tulee hätä!" Lilja selittää kyyneleet silmissä.

"Mitä jos mennään kahdestaan uimahallille harjoittelemaan. Minä voin pitää käsiä sinun vatsasi alla, niin et varmasti uppoa!" isä ehdottaa.

"Hyvä ajatus!" Lilja innostuu.

sän kanssa on mukava harjoitella. Hänellä on suuret ja turvalliset kädet. Lilja polskuttaa innoissaan ympäri lastenallasta isän auttamana.

"Tämä alkaa sujua oikein hyvin! Kohta opit uimaan vahingossa", isä nauraa.

"Mutta lupaathan pitää koko ajan kiinni!" Lilja hätääntyy.

"Lupaan. En päästä irti, ennen kuin sinä annat luvan", isä vakuuttaa.

Liljalla on hauskaa. Isän kanssa uimakoulun temput tuntuvat turvallisilta. Lilja liukuu taitavasti altaan poikki, sillä hän tuntee isän kädet kevyesti vatsansa alla.

"Nyt voidaan kokeilla uimaliikkeitä. Ensin pidän käteni aivan lähellä sinua", isä ehdottaa.

Lilja tietää, että isään voi luottaa. Heti, kun hän alkaa vähänkään upota, isän kädet tulevat apuun.

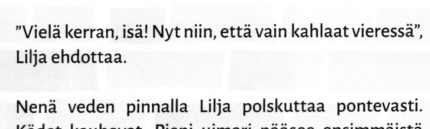

"Vielä kerran, isä! Nyt niin, että vain kahlaat vieressä",
Lilja ehdottaa.

Nenä veden pinnalla Lilja polskuttaa pontevasti.
Kädet kauhovat. Pieni uimari pääsee ensimmäistä
kertaa lastenaltaan poikki.

"Katso! Minä en uppoa enää! " Lilja hihkuu.

"Oma pieni merileijona! Nyt lähdetään kotiin kerto-maan äidillekin."

Isä kääri Liljan lämpimään pyyhkeeseen. Molemmat hymyilivät leveästi.

"Huomenna näytän kavereille uimakoulussa, mitä olen oppinut!" Lilja iloitsee.

Ingram Content Group UK Ltd.
Milton Keynes UK
UKHW051848140423
420187UK00003B/37